Junie B. Jones
brise tout

Junie B. Jones
brise tout

Barbara Park
Illustrations de Denise Brunkus

Traduction d'Isabelle Allard

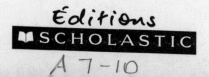
Éditions
SCHOLASTIC

Catalogage avant publication de Bibliothèque et Archives Canada

Park, Barbara
Junie B. Jones brise tout / Barbara Park;
illustrations de Denise Brunkus;
texte français d'Isabelle Allard.

Traduction de : Junie B. Jones is a party animal.
Pour les 7-10 ans.
ISBN-13 : 978-0-439-94264-5
ISBN-10 : 0-439-94264-0

I. Brunkus, Denise II. Allard, Isabelle III. Titre.

PZ23.P363 Jun 2007   j813'.54   C2006-905687-0

Édition publiée par les Éditions Scholastic,
604, rue King Ouest, Toronto (Ontario) M5V 1E1.

5 4 3 2 1   Imprimé au Canada   07 08 09 10 11

Table des matières

1/ Une grand-maman très riche

Je m'appelle Junie B. Jones. Le B, c'est
la première lettre de Béatrice. Je n'aime
pas ce prénom-là, mais le B tout seul,
j'aime bien ça!

J'ai presque six ans.

Quand on a presque six ans, on prend
l'autobus l'après-midi pour aller à la
maternelle.

Ma plus meilleure amie s'appelle Grace.
On prend l'autobus ensemble.

Chaque jour, elle s'assoit *et-zactement* à
côté de moi. Parce que je lui garde sa
place, c'est pour ça.

Garder une place, c'est quand on entre

1

en courant dans l'autobus, puis qu'on se dépêche de s'asseoir et d'étendre les jambes sur le siège d'à côté.

Après, on crie : « RÉSERVÉ! RÉSERVÉ! » Comme ça, personne ne s'assoit là. C'est vrai, qui voudrait s'asseoir à côté d'une crieuse? J'aimerais bien le savoir!

Grace et moi, on a une autre meilleure amie à l'école. Elle s'appelle Lucille.

Lucille ne prend pas l'autobus avec nous. Sa grand-maman riche la conduit à l'école dans une grosse voiture dorée. Cette voiture s'appelle une Cardiaque, je pense.

Et vous savez quoi?

Aujourd'hui, cette grosse Cardiaque dorée roulait juste à côté de l'autobus!

J'ai cogné sur la fenêtre.

— LUCILLE! HÉ, LUCILLE! C'EST

MOI, JUNIE B. JONES! JE SUIS À CÔTÉ
DE TOI, DANS L'AUTOBUS SCOLAIRE!
ME VOIS-TU? HÉ, LUCILLE, JE
COGNE SUR LA FENÊTRE!

Lucille ne m'a pas vue.

— OUAIS, SAUF QU'IL Y A UN
PROBLÈME! TA GRAND-MAMAN VA
TROP VITE. TU ES EN TRAIN DE
DÉPASSER L'AUTOBUS. ALORS,
POURQUOI JE CONTINUE DE CRIER
COMME ÇA, MOI? J'AIMERAIS BIEN
LE SAVOIR!

Je me suis assise et j'ai lissé ma jupe.

— La grand-maman de Lucille a le pied
pesant, on dirait, ai-je dit à Grace.

— La grand-maman de Lucille est
riche, a-t-elle répondu.

— La grand-maman de Lucille est *très*
riche, ai-je dit. Elle a une maison géante
avec un million de pièces. Elle laisse

Lucille et toute sa famille au complet vivre dedans. Parce que c'est beaucoup trop grand pour une grand-maman toute seule.

— Oh là là! a dit Grace.

— Je sais que c'est *oh là là*, Grace, ai-je dit. Ma mamie a juste une vieille maison normale, c'est tout.

Grace a poussé un soupir.

— Ma mamie a juste un condo en Floride, a-t-elle dit.

Grace et moi, on s'est regardées, déprimées.

— Nos mamies sont ordinaires.

Après, on n'a pas parlé jusqu'à l'école.

Et vous savez quoi?

À l'école, on a encore vu la voiture dorée de la grand-maman! Elle était garée dans le stationnement!

Grace et moi, on a couru à toute vitesse.

— Lucille! Lucille, c'est moi, Junie B. Jones! Et Grace! On vient voir ta riche grand-maman!

On a ouvert la porte de l'auto et on a mis notre tête à l'intérieur.

— Bonjour, grand-maman! ai-je dit.

— Bonjour, grand-maman! a dit Grace.

La grand-maman nous a regardées d'un air surpris.

— Ouais, sauf que vous n'avez pas besoin d'avoir peur de nous, ai-je dit. Parce qu'on connaît très bien votre petite-fille. En plus, on ne vous fera pas de mal.

Grace et moi, on s'est assises à l'arrière. J'ai caressé le siège avec ma main.

— Ooooh! j'adore ce tissu, on dirait du velours! ai-je dit.

J'ai mis ma joue sur le siège.

— Ces sièges sont très doux, grand-maman! ai-je dit.

Lucille m'a regardée d'un air fâché.

— Ne l'appelle pas grand-maman! C'est *ma* grand-maman! Pas la tienne!

— Lucille, voyons! a dit la grand-maman d'un ton surpris. Qu'est-ce qui te prend? Tes petites amies sont adorables.

— Oui, Lucille, ai-je dit. Je suis adorable. Et Grace est adorable. Alors, laisse-nous tranquilles. Pas vrai, grand-maman?

La grand-maman a éclaté de rire.

— Vous êtes la plus gentille des grands-
mamans! ai-je dit. Peut-être que Grace et
moi, on pourrait aller voir votre maison
de riche, un jour?

La grand-maman a encore ri.

Alors, Grace et moi, on a ri avec elle.
On riait toutes sans pouvoir s'arrêter.

Sauf Lucille.

2/ Bravo pour nous

Lucille est assise à côté de moi dans la classe numéro neuf.

Elle continuait d'être fâchée contre moi. Mais je ne savais même pas pourquoi.

— Tu portes un très joli chandail, aujourd'hui, Lucille, ai-je dit très poliment.

Elle a éloigné sa chaise.

J'ai rapproché ma chaise.

— Oh! est-ce que tu as des paillettes sur ton col? Parce que les paillettes sont mes petits trucs ronds et brillants préférés, tu sais, ai-je dit.

J'ai touché une paillette.

Lucille a écarté ma main.

Je l'ai chatouillée sous le menton très gentiment.

— Di-gui-di! ai-je dit en riant.

Lucille m'a tourné le dos.

J'ai fait balancer sa queue de cheval.

— Youp là! ai-je chantonné.

Tout à coup, Lucille s'est levée.

— ARRÊTE DE ME TOUCHER! a-t-elle crié dans mon visage.

Mon enseignante s'est approchée très vite de mon pupitre.

Elle s'appelle Madame. Elle a un autre nom, mais je ne m'en souviens jamais. Et puis, j'aime bien dire Madame tout court.

Je lui ai souri gentiment.

— Bonjour, comment ça va, aujourd'hui? Lucille et moi, on ne se chicane même pas. On a juste une *conservation* un peu bruyante.

Madame m'a regardée avec un drôle d'air.

— Je suppose que tu veux dire *conversation*, Junie B., a-t-elle dit. Conservation, c'est quand une personne garde quelque chose...

Je me suis *esclamée*, tout excitée.

— Justement, je garde quelque chose! Je garde la place de Grace dans l'autobus! ai-je dit.

J'ai crié à Grace, de l'autre côté de la classe :

— GRACE! DIS À MADAME QUE JE GARDE TA PLACE DANS L'AUTOBUS! PARCE QU'ELLE PENSE QUE JE NE CONNAIS PAS MES MOTS, ON DIRAIT!

Grace a crié, elle aussi :

— C'EST VRAI, MADAME! JUNIE B.

ME GARDE UNE PLACE DANS
L'AUTOBUS TOUS LES JOURS!

J'ai souri avec fierté.

— Vous voyez, Madame? Je vous
l'avais dit que je gardais quelque chose!

Madame m'a regardée un long
moment.

Après, elle a fermé les yeux.

Et elle a dit qu'elle avait besoin de
vacances.

La cloche de la récré a sonné.

Lucille ne nous a même pas attendues,
Grace et moi. Elle est sortie de la classe
sans nous.

C'est pour ça qu'on a dû courir pour la
rejoindre et l'encercler.

— Je suis à bout de patience avec toi,
madame! ai-je dit d'une grosse voix.
Pourquoi tu continues d'être fâchée contre

nous? Grace et moi, on ne t'a rien fait!

Lucille a tapé du pied.

— Oui! a-t-elle répondu. Vous avez
tout gâché. J'étais en train de supplier ma
grand-maman de m'acheter un petit
caniche blanc. Elle allait presque dire oui,
mais vous êtes arrivées dans l'auto!
Maintenant, c'est raté!

J'ai soufflé très fort.

— Ouais, sauf que ce n'est même pas
notre faute, Lucille. Parce qu'on ne savait
pas que tu la suppliais. On voulait juste
voir ta riche grand-maman, c'est tout!

— Je ne veux pas le savoir! a dit
Lucille. Vous n'auriez pas dû venir. Vous
avez vos mamies à vous!

Alors, Grace et moi, on a encore été
déprimées.

— Je sais qu'on a des mamies, Lucille,
ai-je dit. Mais elles ne sont pas riches

comme ta grand-maman.

Grace a baissé la tête.

— Nos mamies sont ordinaires, a-t-elle dit.

— Elles sont pauvres, ai-je dit tout bas.

Après, Lucille a été plus gentille.

— Je m'excuse, a-t-elle dit. Je suis désolée pour vos mamies. J'étais juste déçue à cause du caniche, c'est tout. D'habitude, ma grand-maman me donne tout ce que je veux.

Je lui ai fait un grand sourire. Parce qu'une idée venait d'apparaître dans ma tête. J'ai beaucoup de *magination*.

— Hé, Lucille! Peut-être que Grace et moi, on pourrait aller à la maison de ta grand-maman. Comme ça, on t'aiderait à supplier pour le caniche!

J'ai dansé en rond.

— Et voici une autre bonne idée! Peut-être qu'on pourrait dormir chez elle? Parce que Grace et moi, on n'a jamais vu une maison de riches. Et on aurait toute la soirée pour t'aider à supplier ta grand-maman!

Grace a commencé à danser en rond, elle aussi.

— Est-ce qu'on peut y aller? Est-ce qu'on peut? a-t-elle demandé.

J'ai tapé des mains, toute contente.

— Je suis libre samedi, je pense! ai-je dit.

— Moi aussi, je suis libre samedi, a dit Grace.

Lucille a *fléréchi*.

— Hum... Je ne sais pas si on pourrait samedi. Ma maman, mon papa et mon frère partent pour la fin de semaine. Alors, il y aura seulement ma grand-maman et moi.

J'ai sauté sur place.

— Youpi! ai-je dit. Ce serait encore mieux! Parce qu'on pourrait supplier ta grand-maman sans se faire interrompre.

Lucille a commencé à sourire.

— C'est vrai! a-t-elle dit. Pourquoi je n'y ai pas pensé avant?

Je me suis montrée du doigt.

— Parce que je suis le cerveau du groupe, c'est pour ça! ai-je dit.

Après, on a gambadé toutes les trois dans la cour.

En plus, Grace et moi, on s'est tapées dans les mains.

PARCE QU'ON ALLAIT DORMIR CHEZ LA GRAND-MAMAN, C'EST POUR ÇA!

3 / Les règles

Vous savez quoi? Vous savez quoi?

Vendredi, la grand-maman de Lucille a appelé ma maman!

Elle m'a invitée à dormir chez elle le samedi.

Et maman n'a même pas dit non!

Mes pieds ont galopé dans toute la maison quand j'ai entendu ça!

— JE VAIS DORMIR CHEZ LUCILLE! JE VAIS DORMIR CHEZ LUCILLE! ai-je crié.

Je suis entrée en courant dans la chambre de mon petit frère Ollie.

— HÉ! OLLIE! JE VAIS DORMIR
CHEZ LUCILLE! JE VAIS...

Maman est entrée à son tour dans la
chambre et m'a fait sortir brusquement.

Je n'ai pas aimé ça.

Je me suis frotté le bras.

— Ouais, sauf que ce n'est pas gentil de
bousculer les gens, ai-je dit tout bas.

Maman a pris sa grosse voix.

— Combien de fois t'ai-je dit de ne pas
entrer dans la chambre d'Ollie quand il
dort? Hein? Combien de fois?

J'ai *fléréchi* une minute.

— Un million de *bazillions*? C'est un
chiffre *approskimatif*.

Maman m'a regardée avec des yeux
fâchés.

Je me suis balancée sur mes pieds.

— Un chiffre *approskimatif*, ai-je dit,
c'est quand on ne sait pas le chiffre

et-zactement. Alors, on invente un chiffre. Comme ça, les gens nous laissent tranquilles. C'est mon petit ami Ricardo qui me l'a dit. Son père vend de l'assurance, je pense.

Maman a tapé le plancher très vite avec son pied.

— On ne parle pas du père de Ricardo, Junie B. On parle de toi qui entres dans la chambre d'Ollie quand il dort. Et je n'ai pas dit que tu pouvais dormir chez Lucille. Je veux en discuter avec ton père avant.

Je me suis accrochée à sa jambe avec mes bras.

— S'il te plaît, maman? S'il te plaît, s'il te plaît! Je vais être sage. C'est promis, promis!

À ce moment-là, la porte de la maison s'est ouverte.

C'était mon papa!

Il revenait du travail.

J'ai couru vers lui comme une fusée.

Je me suis accrochée à sa jambe, à lui aussi. Il ne pouvait même pas détacher mes bras.

— Je vais être sage, papa! C'est promis!

Maman m'a prise dans ses bras et m'a transportée dans le salon.

Papa et elle ont chuchoté dans le couloir.

Et vous savez quoi?

Ils ont dit que je pouvais dormir chez Lucille!

— YOUPI! YOUPI! YOUPI! ai-je crié.

Après, j'ai recommencé à galoper. Papa m'a attrapée par ma ceinture.

— Ouais, sauf qu'il y a un problème. Je ne galope pas vraiment, ai-je dit.

— Non, le problème, c'est autre chose, a-t-il dit. Avant d'aller chez Lucille, il faut que tu acceptes de suivre certaines règles.

J'ai levé les sourcils.

— Des règles? Il y a des règles?

— Beaucoup de règles, a dit papa.

Maman et lui se sont penchés vers moi. Et ils m'ont expliqué les règles de la soirée pyjama.

Je ne dois pas me chamailler, me coucher tard, courir, sauter, crier, hurler, espionner, fouiller, discuter, bouder, tricher à des jeux, répliquer à la grand-maman, briser les jouets des autres, ronchonner, pleurer, mentir, chatouiller quelqu'un qui ne veut pas et encore moins donner des coups de tête.

Après avoir entendu toutes ces règles, j'ai poussé un gros soupir.

— Ouais, sauf que ça ne me laisse pas beaucoup de choses à faire, ai-je dit.

Maman a *éroubiffé* mes cheveux.

— Désolée, ma chérie, mais c'est à prendre ou à laisser.

— À prendre, à prendre! ai-je crié. C'est d'accord pour vos règles.

J'ai embrassé maman et papa sur la joue.

Je les ai serrés très fort.

Ils ne pouvaient plus me détacher.

4/
Mes bagages

Le lendemain matin, c'était samedi.

J'ai sauté de mon lit et j'ai couru dans la cuisine.

J'ai pris un grand sac de plastique géant. Je suis retournée dans ma chambre et j'ai fait mes bagages pour aller chez Lucille.

En premier, j'ai mis mon oreiller préféré dans le sac. Puis j'ai ajouté mon pyjama, ma robe de chambre et mes pantoufles qui ressemblent à des lapins. J'ai aussi pris ma couverture, mes draps et un joli petit tapis.

Finalement, j'ai pris mon éléphant en

peluche qui s'appelle Philip Johnny Bob.

Il m'a regardée de l'intérieur du sac.

Ouais, sauf qu'il y a un problème, a-t-il dit. *Tu ne devrais pas me mettre dans un sac de plastique. Parce que je pourrais souffoquer là-dedans.*

Mes yeux se sont agrandis.

— C'est vrai! ai-je dit. Je n'avais pas pensé à ça!

Alors, j'ai pris mes ciseaux et j'ai découpé des trous d'air pour mon éléphant.

Philip Johnny Bob a reniflé l'air. *C'est mieux comme ça,* a-t-il dit.

J'ai tapoté sa trompe. Puis je suis allée dans le salon. J'ai regardé des dessins animés en attendant que maman se lève.

Plus tard, je l'ai entendue marcher en pantoufles dans le couloir.

— MAMAN! MAMAN! JE SUIS

PRÊTE! ai-je crié. JE SUIS PRÊTE POUR ALLER CHEZ LUCILLE!

J'ai tiré maman dans ma chambre pour lui montrer le sac de plastique.

Maman a secoué sa tête.

— Tu as beaucoup trop de choses! a-t-elle dit.

Elle a pris une toute petite valise sur une tablette. Elle y a mis mon pyjama, mes pantoufles, ma robe de chambre et ma brosse à dents.

Après, elle a sorti un sac de couchage de son placard. Puis elle a placé mon oreiller par-dessus.

— Voilà, a-t-elle dit. C'est tout ce dont tu as besoin. Tu es prête, maintenant.

J'ai sauté dans les airs.

— JE SUIS PRÊTE! JUNIE B. JONES EST PRÊTE À DORMIR CHEZ LUCILLE!

J'ai pris Philip Johnny Bob et j'ai traîné tous mes bagages jusqu'à la porte d'entrée.

— ALLEZ! ON Y VA! ai-je crié, tout excitée.

Maman était dans la chambre de bébé Ollie. Elle n'est pas venue.

— BON! JE VAIS DEHORS, MAINTENANT. JUNIE B. JONES S'EN VA DANS LA VOITURE! ai-je crié un peu plus fort.

Maman a couru vers la porte.

— Non, Junie B.! Je ne t'emmène pas chez Lucille, tu te souviens? Sa grand-maman vient te chercher à trois heures, cet après-midi. Je te l'ai dit hier.

Tout à coup, mes épaules sont retombées. Parce que je ne me souvenais pas de cette information-là, c'est pour ça.

— Zut alors, ai-je dit, déçue. C'est long, attendre jusqu'à trois heures.

Je me suis traînée jusqu'à la cuisine pour manger mon déjeuner.

Après, je me suis assise dehors, devant la porte.

Je me suis balancée sur mes balançoires.

J'ai lu des livres.

J'ai mangé un sandwich au fromage.

J'ai compté jusqu'à un million de *bazillions*.

Je me suis encore assise devant la porte.

Et vous savez quoi?

Trois heures a fini par arriver!

J'ai vu la grosse voiture dorée tourner dans notre allée!

— ELLE EST ARRIVÉE! ELLE EST ARRIVÉE! ai-je crié.

Papa et maman sont sortis.

— Es-tu prête? a demandé maman.

— JE SUIS PRÊTE! ai-je crié. JUNIE B. JONES EST PRÊTE À PARTIR!

La riche grand-maman est sortie de sa voiture.

J'ai mis mes bras autour d'elle.

— BONJOUR, GRAND-MAMAN! BONJOUR! JE VOUS AI ATTENDUE TOUTE LA JOURNÉE AU COMPLET!

Maman m'a détachée de la grand-

maman.

— Désolée, a-t-elle dit. J'ai bien peur que Junie B. ait de l'énergie à revendre. Elle a passé des heures assise devant la porte.

J'ai sauté très haut dans les airs.

— OUAIS, J'ÉTAIS ASSISE ICI! JE VOUS ATTENDAIS.

Papa et maman ont transporté mes
bagages dans la grosse Cardiaque dorée.

Et vous savez quoi? Quand ils ont
ouvert la porte, j'ai vu Lucille et Grace sur
le siège arrière.

— LUCILLE! GRACE! JE NE SAVAIS
PAS QUE VOUS ÉTIEZ DÉJÀ LÀ!
QUELLE BELLE SURPRISE!

J'ai avancé ma main pour les chatouiller. Mais maman m'a arrêtée.

— S'il te plaît, Junie B. Ne commence pas.

Je lui ai fait un salut.

— Oui, mon capitaine! ai-je dit, très rigolote.

Après, je suis entrée dans l'auto et j'ai rebondi sur le siège velouteux.

Sauf que tant pis pour moi. Parce que, par accident, j'ai bondi trop haut. Et j'ai cogné ma tête contre le plafond.

La grand-maman a fait : « Oh! »

Je lui ai tapoté le bras.

— Ouais, sauf que ça ne m'a même pas étourdie, ai-je dit.

J'ai attaché ma ceinture.

J'ai fait un signe de la main à maman et papa.

Et on est parties.

5/ Le bal de Cendrillon

Lucille était assise au milieu.

Elle nous a chuchoté tout bas :

— N'oubliez pas de supplier pour le caniche. Vous avez promis!

Grace et moi, on s'est regardées sans rien dire. Parce qu'on n'avait pas vraiment envie de supplier.

Lucille a enfoncé son doigt dans nos côtes.

— Allez! Vous avez promis! a-t-elle chuchoté. Suppliez!

J'ai poussé un soupir.

Puis j'ai *fléréchi* à ce que j'allais dire.

Finalement, j'ai respiré très fort.

— Hé! grand-maman! ai-je dit. Vous savez quoi? Lucille veut un caniche, il paraît. Alors, pouvez-vous lui en acheter un?

— Oui, pouvez-vous? a demandé Grace. Parce qu'elle nous oblige à vous supplier. Sinon, on ne peut pas dormir chez vous.

La bouche de la grand-maman s'est ouverte toute grande.

— Ah bon! voilà le fond de l'histoire! Eh bien, ma petite-fille sait très bien que je suis allergique aux chiens. Alors, vous pouvez lui dire qu'il est hors de question qu'elle ait un caniche, j'en ai bien peur.

J'ai tapoté le bras de Lucille pour la consoler.

— Il est hors de question que tu aies un caniche, elle en a bien peur.

Lucille a donné des coups de pied dans

les airs.

— Supplie plus que ça! a-t-elle chuchoté. Essaie encore!

J'ai froncé les sourcils.

— Est-ce que vous êtes sûre? ai-je demandé à la grand-maman.

— Pas de caniche, Lucille! a dit la grand-maman d'un ton sec.

Lucille a donné des coups de pied encore plus fort.

— Je savais que cette idée idiote ne donnerait rien! a-t-elle grogné.

Tout à coup, la voiture s'est arrêtée devant une grosse grille en fer.

Grace a ouvert les yeux très grands.

— Oh! on dirait une grille de *château*! a-t-elle dit.

Lucille a fait un petit sourire.

— Ce n'est pas un château, voyons, a-t-elle répliqué. C'est la grille de ma maison.

La grand-maman a appuyé sur un bouton et la grille s'est ouverte devant nous.

— Hé, c'est un bouton *magique*! ai-je dit.

Le sourire de Lucille s'est agrandi.

La grand-maman a roulé sur une longue allée. Elle a arrêté l'auto devant une belle grande maison.

Lucille est sortie et a couru à la maison.

Grace et moi, on l'a suivie.

Et vous savez quoi? La maison de Lucille était encore plus belle *dedans* que *dehors*!

Il y avait un escalier très beau et très grand. Et un beau vase rempli de fleurs. Et une lumière immense en vitre brillante, suspendue au plafond.

J'avais le souffle coupé par cette chose brillante!

— Cette lumière me coupe le souffle!

ai-je dit.

Lucille a gambadé en rond.

Elle a chanté très fort dans nos oreilles.

— VOUS VOYEZ? JE VOUS L'AVAIS
DIT QUE J'ÉTAIS RICHE! JE VOUS
L'AVAIS DIT!

Elle avait inventé cette chanson, je
pense.

Après, elle nous a prises par la main et
nous a montré toutes les pièces de sa
maison.

Elle nous a montré le salon. La salle à
manger. La cuisine. La grande terrasse. Le
bureau de son papa. Le bureau de sa
maman. La salle de séjour. La salle de
billard. La piscine. Le spa. La
bibliothèque. Le gymnase. La chambre de
sa grand-maman. La chambre de son papa
et de sa maman. La belle salle de bain
dorée avec un bain à remous. La chambre
de son frère. Et plein de chambres d'amis.

Finalement, Lucille nous a montré sa chambre à elle!

Elle ressemblait à une chambre de princesse!

Le lit de Lucille avait un toit rose avec des volants.

— Ça s'appelle un *baldaquin*, a-t-elle dit. Il est assorti à mes rideaux en soie rose et à mon couvre-lit en soie rose. Et aussi à mon téléphone rose, à ma carpette rose et à mon papier peint à fleurs roses. Avez-vous vu mon téléviseur? Ma chaîne stéréo? Mon ordinateur? Mon lecteur de CD?

Elle a pointé le doigt vers le coin de la chambre.

— Et regardez mes animaux en peluche! a-t-elle dit.

Les yeux me sont sortis de la tête en voyant ces animaux géants. La girafe était même plus grande que moi!

Grace et moi, on a couru pour jouer avec eux.

— NON! a crié Lucille. VOUS N'AVEZ PAS LE DROIT DE LES TOUCHER! ILS SONT JUSTE POUR DÉCORER!

— Quoi? a dit Grace.

— Mais pourquoi? ai-je demandé.

— Parce qu'ils ont coûté cher, voilà pourquoi, a-t-elle répondu. Ces animaux ont coûté une fortune à ma grand-maman.

— Oh, ai-je dit, déçue.

— Oh, a dit Grace.

On a voulu s'asseoir sur le lit, mais Lucille a recommencé à crier :

— NON, PAS LÀ! VOUS N'AVEZ PAS LE DROIT DE VOUS ASSEOIR! CE COUVRE-LIT EST JUSTE POUR DÉCORER!

Grace et moi, on s'est levées d'un bond.

Lucille s'est dépêchée de lisser le tissu

avec sa main.

— Vous ne savez donc *rien*? a-t-elle dit. Je vous ai dit que ce couvre-lit-là était en soie. Je n'ai pas le droit de le salir.

— Oh, ai-je dit.

— Oh, a dit Grace.

Après, Lucille a gambadé jusqu'à sa commode. Elle a pressé un bouton sur son miroir.

Un million de *bazillions* de lumières se sont allumées!

— Regardez, a dit Lucille. C'est mon miroir de maquillage professionnel rien qu'à moi! C'est un vrai miroir de vedette de cinéma. Ma grand-maman l'a rapporté de Hollywood, en Californie!

Grace et moi, on a couru vers le miroir lumineux. On s'est regardées sous les lumières brillantes.

On a sorti la langue et on a fait des grimaces.

Lucille a éteint les lumières très vite.

— Ce n'est pas un jouet! a-t-elle
grogné.

Après, Grace et moi, on est restées là
sans bouger. On n'a touché à rien.

— La soirée va être longue, ai-je dit à
voix basse.

Puis quelque chose de merveilleux est
arrivé!

La grand-maman de Lucille est entrée dans la chambre. Elle portait une grande boîte de déguisements.

— J'ai pensé que vous aimeriez vous déguiser avec mes anciennes robes de soirée, a-t-elle dit gentiment. Elles sont vieilles comme le monde, mais elles sont encore superbes.

Lucille a couru jusqu'à la boîte comme une fusée.

— On va jouer à Cendrillon! a-t-elle dit.

Elle a sorti une belle robe rose au tissu brillant.

— JE SUIS CENDRILLON! a-t-elle crié.

Grace m'a poussée pour arriver avant moi à la boîte.

Elle a sorti une belle robe bleue.

— JE SUIS LA FÉE MARRAINE! a-t-elle crié.

J'ai poussé un gros soupir en les entendant toutes les deux. Parce que, maintenant, j'allais être une des affreuses belles-sœurs, on dirait.

Je me suis penchée pour chercher dans la boîte.

Mes mains ont senti un objet long, doux et soyeux. Je l'ai sorti de la boîte.

Le visage de la grand-maman s'est éclairé.

— Oh, mon vieux boa de plumes! Je n'ai pas vu ce boa depuis des années!

J'ai dansé dans la chambre avec le beau boa.

— Je l'adore, grand-maman! J'adore ce vieux boa!

Soudain, une très bonne idée est apparue dans ma tête.

— Je sais! Je vais être la chanteuse

célèbre qui chante au bal de Cendrillon!

Lucille et Grace m'ont regardée d'un air bizarre.

— Quelle chanteuse? a demandé Lucille.

— Il n'y a pas de chanteuse, a dit Grace.

J'ai tapé du pied.

— Oui, il y a une chanteuse! Je vous le dis! C'est moi! Je suis Florence, chanteuse célèbre. Et je vais chanter mes chansons à succès!

Lucille et Grace ont levé leurs épaules.

Elles ont mis leurs belles robes.

Elles sont allées au bal.

Et moi, j'ai chanté un de mes succès.

6/ Des sauts et des bonds

Après le bal de Cendrillon, la grand-maman nous a appelées pour le souper.

Lucille, Grace et moi, on a gambadé jusqu'à la salle à manger. On s'est assises à une longue table luisante.

La grand-maman de Lucille est sortie de la cuisine. Elle nous a servi notre souper.

Et vous savez quoi?

C'était des fèves au lard et des saucisses!

— Youpi! ai-je dit. Youpi pour ce souper! Parce que c'est ma sorte de cuisine maison préférée.

La grand-maman a fait un petit sourire.

— Eh bien, nous avons une cuisinière, mais c'est sa soirée de congé, a-t-elle dit.

Après, la grand-maman a versé du lait dans des beaux verres brillants.

— Ooooh! grand-maman, tu as sorti tes beaux verres de cristal! a dit Lucille, toute contente. J'adore ces verres luxueux!

— Moi aussi, ai-je dit. J'adore les verres luxueux!

Sauf que tant pis pour moi. Parce que personne ne m'avait jamais dit que les verres de cristal sont très lourds.

Alors, quand j'ai pris mon verre, il m'a glissé de la main. Il est tombé par terre et s'est brisé en mille morceaux!

La bouche de Lucille s'est ouverte.

— OH NON! TU L'AS CASSÉ! TU AS CASSÉ LE VERRE DE CRISTAL DE MA

GRAND-MAMAN!

Le visage de la grand-maman était plissé et tout rouge.

— Pardon, grand-maman, ai-je dit tout bas. Pardon d'avoir brisé votre verre de cristal.

La grand-maman a aspiré ses joues.

— Essaie seulement de faire plus attention, tu veux bien, ma chérie? a-t-elle dit.

J'ai hoché la tête de haut en bas.

— Je veux bien, ai-je répondu.

Après, j'ai mangé mes fèves et ma saucisse en faisant très attention. Sauf que ma saucisse a glissé de ma fourchette. Elle est tombée sur la nappe blanche de la grand-maman.

— OH NON! a hurlé Lucille. C'EST LA BELLE NAPPE DE LIN DE MA GRAND-MAMAN! ELLE VIENT

D'IRLANDE!

Le visage de la grand-maman était tordu et gonflé.

J'ai repoussé mon assiette. J'avais un nœud dans mon ventre.

— Ouais, sauf que vous savez quoi? Je n'ai plus faim, finalement. Alors, je vais juste rester assise et ne rien renverser, je pense.

La grand-maman a nettoyé les dégâst avec un linge mouillé.

Après, elle nous a apporté de la crème glacée au chocolat pour le dessert.

Sauf que tant pis pour moi. Parce qu'une toute petite goutte de crème glacée est tombée de ma cuillère et a atterri sur le coussin de ma chaise.

La grand-maman a poussé un gros soupir.

— Tu es comme un éléphant dans un

magasin de porcelaine! a-t-elle dit.

— Pardon, grand-maman, ai-je dit.
Pardon, pardon!

La grand-maman a tapoté mon bras
d'une main toute raide.

— Ça va, a-t-elle marmonné.

Je me suis levée et je suis allée avec mes
amies dans la chambre de Lucille.

Et vous savez quoi?

Cette fois, c'était plus amusant!

Lucille a dit qu'on pouvait jouer avec
les jeux de son placard. Parce que ces
jeux-là ne coûtaient pas très cher.

En premier, on a joué au jeu des
échelles et des serpents. Puis on a joué au
bingo, aux dames, aux dominos et au tic-
tac-toe. Après, on a joué à tourner sur
nous-mêmes jusqu'à devenir étourdies et
tomber par terre.

Et vous savez quoi?

Je n'ai même pas brisé quoi que ce soit!

— Je pense que je m'habitue à cette maison! ai-je dit, toute contente.

La grand-maman a frappé à la porte de Lucille.

— Il est temps de mettre vos pyjamas, a-t-elle dit.

J'ai dansé dans la chambre, tout excitée.

— Youpi! ai-je dit. Youpi pour les pyjamas! Parce que j'ai apporté mon pyjama favori!

J'ai vite enfilé mon pyjama.

— Regardez, grand-maman! ai-je dit. Il est très grand. C'est pour ça qu'il est si confortable!

La grand-maman m'a regardée.

— Comme c'est... *charmant*, a-t-elle dit.

Grace s'est placée devant moi.

— Avez-vous vu le mien, grand-

maman? a-t-elle demandé. Il a des pois
vert fluo!

— Comme c'est... *coloré*, a dit la
grand-maman.

Tout à coup, Lucille est sortie de son
grand placard.

— Ta-dam! Regardez-moi, tout le
monde! Je porte ma jolie chemise de nuit
en satin rose! Vous voyez comme je suis
ravissante? Je ressemble à un mannequin
de magazine!

Lucille nous a laissé toucher le tissu de
sa robe de nuit.

— Comme c'est... *satineux*, ai-je dit.

Après, Grace et moi, on a déroulé nos
sacs de couchage sur le plancher. La
grand-maman a enlevé le couvre-lit rose
du lit de Lucille.

—Fais de beaux rêves, ma princesse, a-
t-elle dit à Lucille.

Elle lui a donné un bisou, puis elle a
fermé la porte.

Sauf que vous savez quoi?

Lucille ne s'est même pas couchée. Elle

a continué de tournoyer dans sa chemise de nuit en satin rose.

— C'est comme ça qu'elles font, les mannequins, a-t-elle dit. Elles tournent pour montrer leurs robes, devant et derrière.

Elle n'arrêtait pas de tourner sur elle-même.

— Voyez-vous le devant de ma robe? Et le dos?

Grace et moi, on s'est assises sur son lit pour la regarder tourner.

Le lit était doux et mou.

On a rebondi un peu.

Lucille a arrêté de tourner.

— Ne faites pas ça! a-t-elle dit. Ce lit est seulement pour faire de beaux rêves.

J'ai tapoté son lit avec admiration.

— Ouais, sauf que c'est dommage qu'on ne puisse pas sauter dessus, ai-je dit.

Ce matelas est très *rebondissant.*

Lucille a souri d'un air rusé.

— Tu veux sauter? a-t-elle dit à voix basse. Tu veux sauter *pour de vrai*?

Elle a marché sur la pointe des pieds jusqu'à la porte. Elle a regardé dans le couloir.

— Venez, a-t-elle chuchoté. Suivez-moi.

J'ai pris Philip Johnny Bob et j'ai suivi Lucille et Grace.

On a marché dans le couloir sur la pointe des pieds.

Lucille a ouvert la porte d'une grande chambre d'amis. Il y avait un lit géant dans cette chambre!

— Regardez cet énorme lit, a-t-elle dit. Ma grand-maman l'a fait faire exprès pour les invités très grands.

Elle a refermé la porte derrière nous.

— Venez! a-t-elle dit.

Alors, on s'est dépêchées de sauter sur le grand lit. On a sauté, sauté, sauté sur ce grand lit!

J'ai chanté une chanson amusante.

Ça s'appelait *Je saute, saute, saute sur le grand lit*.

— JE SAUTE, SAUTE, SAUTE SUR LE GRAND LIT, ai-je chanté.

Sauf que tant pis pour moi. Parce que tout à coup, je me suis souvenue d'une chose très importante : papa et maman m'avaient dit de ne pas sauter.

Je suis descendue très vite du lit.

— Ouais, sauf qu'il y a un problème, ai-je dit. Je n'ai pas vraiment le droit de sauter, parce que papa et maman m'ont dit de ne pas sauter. Alors, vous devriez arrêter de sauter, vous aussi. Ce serait plus poli.

Lucille et Grace ont fait comme si je

n'avais rien dit.

C'est pour ça que j'ai dû remonter sur le lit géant et crier dans leur visage :

— ARRÊTEZ DE SAUTER, J'AI DIT! PARCE QUE JE N'AI PAS LE DROIT DE SAUTER! VOUS N'ÊTES PAS POLIES!

Grace a sauté très haut dans les airs.

— Qui a dit que je sautais? Je ne saute pas! a-t-elle dit.

Elle a ricané comme une idiote.

— Je ne saute pas, je bondis! a-t-elle dit.

Mon visage s'est éclairé.

J'ai serré Grace dans mes bras.

Parce que papa et maman ne m'avaient pas interdit de bondir!

Après, j'ai bondi, bondi, bondi sur le grand lit.

— JE BONDIS, BONDIS, BONDIS SUR LE GRAND LIT, ai-je chanté.

J'ai fait tellement de bonds que la sueur coulait sur ma tête.

Je me suis étendue sur le lit pour me reposer.

J'ai mis ma tête sur un oreiller rembourré.

— Ooooh! Lucille, c'est l'oreiller le plus rembourré que j'aie jamais vu! ai-je dit.

— Mais bien sûr! a dit Lucille. C'est parce que ma grand-maman fait faire ses oreillers en Suède.

J'ai lancé l'oreiller rembourré à mon amie Grace.

— Hé, Grace! Touche cet oreiller rembourré!

Sauf que Grace n'a pas vu arriver l'oreiller. Il l'a cognée sur la tête par accident.

J'ai jeté un coup d'œil sous l'oreiller.

— Ouais, sauf que ça ne t'a même pas

fait mal, je parie. Parce que les oreillers rembourrés ne font pas mal aux gens, hein Grace?

Grace a fait un petit sourire.

Elle a enlevé l'oreiller de sa tête. Elle a pris son élan et me l'a lancé dans le ventre!

— Ouf! ai-je dit.

Puis j'ai éclaté de rire.

— Hé, j'avais raison! Les oreillers rembourrés ne font pas mal aux gens!

Après, j'ai frappé Lucille sur la tête avec l'oreiller. Puis j'ai encore frappé Grace.

Elles ont pris chacune un oreiller rembourré et on a continué à se donner des coups. C'était très amusant!

Sauf qu'un problème est arrivé. Parce que je ne savais même pas qu'il y avait un trou dans mon oreiller rembourré. Alors,

quand j'ai frappé Grace une autre fois,
toutes les plumes sont sorties de mon
oreiller!

Il y avait un million de *bazillions* de ces
choses flottantes.

Elles ont rempli toute la chambre.

— Oh! oh! a dit Lucille.

— Oh! oh! a dit Grace.

J'ai dansé sur le lit en rigolant.

— IL NEIGE! IL NEIGE! IL...

Soudain, la porte s'est ouverte d'un coup sec.

C'était la grand-maman de Lucille!

Elle m'a vue tenir l'oreiller rembourré déchiré!

Mon cœur a commencé à battre très fort dans ma poitrine.

— Bonjour, ai-je dit, un peu nerveuse. Comment ça va, aujourd'hui? Moi, je vais bien, sauf que j'ai un problème de plumes, on dirait.

La grand-maman a marché très lentement vers moi.

Elle m'a enlevé l'oreiller des mains.

Puis elle a caché son visage dans l'oreiller aplati.

Et elle est restée comme ça très, très longtemps.

7/
Bzzz!

Après, la grand-maman nous a ramenées dans la chambre de Lucille.

Moi et Philip Johnny Bob, on s'est dépêchés de se coucher dans mon sac de couchage.

Puis Grace s'est glissée à son tour dans son sac de couchage. Et Lucille s'est couchée dans son lit doux et mou.

— Maintenant, c'est l'heure de dormir, a dit la grand-maman d'une voix fâchée.

Plus un mot! Je veux pouvoir entendre voler une mouche!

Elle a éteint la lumière et fermé la

porte.

Je suis restée silencieuse très longtemps. Parce que j'avais peur de cette grand-maman, c'est pour ça.

Tout à coup, j'ai entendu une petite voix.

— Bzzz!

C'était Lucille.

Grace et moi, on a éclaté de rire.

— Bzzz! a dit Grace.

— Bzzz! ai-je dit.

Bzzz! a dit Philip Johnny Bob.

Bientôt, tout le monde bourdonnait dans la chambre.

— Bzzz! Bzzz! Bzzz! Bzzz! Bzzz! Bzzz! Bzzz! Bzzz!

Lucille bourdonnait de plus en plus fort.

— BZZZ! BZZZ! BZZZ!

Et elle riait de plus en plus fort.

Finalement, Grace et moi, on s'est assises dans nos sacs de couchage. On a regardé Lucille.

— Lucille bourdonne vraiment trop, a dit Grace.

— Elle est peut-être fatiguée, ai-je dit. Quand on est fatigué, notre cerveau devient idiot.

— BZZZ! BZZZ! BZZZ! a répété Lucille. BZZZ! BZZZ! BZZZ!

Tout à coup, la grand-maman de Lucille a ouvert la porte.

— SILENCE! a-t-elle crié d'une voix qui faisait peur.

J'ai eu la chair de poule.

On s'est toutes recouchées très vite.

On a fermé nos yeux.

Et on n'a plus entendu un seul bourdonnement.

8 / Le lendemain matin

Le matin est arrivé très tôt.

Il faisait encore noir dehors.

J'ai secoué Lucille et Grace.

— J'ai faim, ai-je dit. Avez-vous faim? Moi, j'ai très, *très* faim.

Je les ai secouées plus fort.

— Allons manger. D'accord? J'ai vraiment envie de manger.

Finalement, Lucille et Grace ont bâillé et se sont étirées.

On a mis nos robes de chambre et nos pantoufles. On a marché dans le couloir pour aller réveiller la grand-maman de Lucille.

Lucille l'a secouée doucement.

— Réveille-toi, grand-maman, a-t-elle chuchoté.

— Réveille-toi, grand-maman, a dit Grace.

— Réveille-toi, grand-maman, ai-je dit.

La grand-maman a continué de ronfler.

C'est pour ça qu'on a dû la tirer par les bras. Et qu'on a allumé une grosse lumière dans sa figure.

La grand-maman a fait un gros bâillement.

Ce n'était pas joli.

Après, elle a mis sa robe de chambre et ses pantoufles. Elle est descendue avec nous.

On s'est assises à la grande table de la salle à manger.

La grand-maman nous a donné des bols de céréales.

— Oh, grand-maman! Ce sont les

nouveaux bols que tu as achetés en
France! Ce sont mes préférés! a dit Lucille.

J'ai senti un nœud dans mon ventre.

J'ai tapoté la main de la grand-maman.

— Ouais, sauf qu'il y a un problème,

ai-je dit. J'aimerais mieux avoir un bol de
plastique. Parce que le plastique, c'est plus
mon style.

La grand-maman a regardé le plafond.
J'ai regardé le plafond, moi aussi. Mais je

n'ai rien vu.

— Je n'ai pas de bols de plastique, a-t-elle dit.

Après, elle a apporté du jus d'orange. Elle l'a versé dans de tout petits verres de cristal.

Je me suis levée.

— Ouais, vous savez quoi? Je pense que je vais rester debout sans manger. Sinon, je pourrais encore renverser quelque chose.

La grand-maman m'a regardée très longtemps.

Elle est allée dans la cuisine et m'a rapporté une banane.

— Tiens, prends ça, a-t-elle dit d'un ton un peu plus gentil.

J'ai souri.

Puis j'ai mangé ma banane en faisant très attention. Je n'en ai pas échappé un seul petit bout.

Maman est venue me chercher à neuf heures.

Elle est entrée dans la grande maison de la grand-maman.

— Quelle belle maison! a-t-elle dit à la grand-maman.

Puis elle s'est penchée sur le beau vase rempli de fleurs pour essayer de sentir ces jolies choses.

— NON! ai-je crié. ELLES SONT JUSTE POUR DÉCORER, JE PENSE!

Après, j'ai dit au revoir à mes amies. J'ai remercié la grand-maman. Et j'ai vite tiré maman hors de cette maison. Sinon, elle aurait pu briser quelque chose, c'est pour ça.

J'ai descendu l'escalier en courant et je suis montée dans l'auto. J'ai caressé le siège avec ma main.

Il n'était pas aussi velouteux que celui de la Cardiaque.

J'ai souri, soulagée.

— Ça fait du bien de revenir chez nous, ai-je dit.

Maman a fait démarré la voiture et on est parties.

Mon ventre a fait des gargouillis.

— Tu sais quoi? Mon ventre a encore faim. Parce que je n'ai pas vraiment mangé ce matin.

Maman a ri.

— Décidément, tu as un appétit d'ogre, Junie B.

Tout à coup, une bonne idée est apparue dans ma tête.

— Maman! On pourrait s'arrêter chez mamie Miller pour déjeuner! Parce qu'elle fait des crêpes aux bleuets tous les

dimanches. Et les crêpes aux bleuets, c'est le meilleur déjeuner du monde entier!

Maman a *fléréchi*.

Puis elle a tourné le volant. Et elle a conduit jusqu'à la maison de mamie Miller. On est arrivées juste à temps pour les crêpes!

On a mangé un million de *bazillions* de

ces délicieuses crêpes!

En plus, j'ai bu du jus d'orange dans un verre de plastique!

— Youpi pour le plastique! ai-je crié.

Mamie Miller et moi, on s'est donné un gros bisou.

Vous savez quoi?

Je pense que ma mamie ordinaire est parfaite comme ça.